DISCARD

AGNIESZKA CHYLIŃSKA

Zezia
i Giler

Redakcja: Agnieszka Hetnał

Korekta: Justyna Tomas

Ilustracje i projekt graficzny: Marek Bogumił

Redaktor techniczny: Jarosław Jabłoński

Redaktor prowadząca: Zuzanna Klim

Bielsko-Biała, 2012

Wydawnictwo Pascal Spółka z o.o.

ul. Kazimierza Wielkiego 26

43-300 Bielsko-Biała

tel. 338282828, faks 338282829

pascal@pascal.pl, www.pascal.pl

ISBN 978-83-7642-089-9

Spis treści

Pierwsze spotkanie

Zezia tak naprawdę nie ma na imię Zezia, tylko Zuzia.

Zezią nazwał ją młodszy brat Czarek, gdy Zezia, czyli Zuzia, wróciła z Mamą od optyka. Po raz pierwszy miała wtedy na nosie okulary, które musiała nosić, bo bez nich nie widziała zbyt dobrze. Wszystko było trochę zamglone.

Żeby było jeszcze zabawniej, Rodzice Zezi i Czarka, którego Zuzia z kolei nazywała Gilerem (dlaczego go tak nazwała, o tym troszkę później, dosłownie za momencik), no więc Rodzice Zezi i Czarka mieli na nazwisko Zezik. Zezia nazywała się Zuzanna Zezik, ale z jej nowym przydomkiem brzmiało to rzeczywiście bardzo śmiesznie: Zezia Zezik.

Zezia nie miała żalu do brata, że nazwał ją Zezią, bo nikt w domu nie miał o nic żalu do

Gilera. Giler miał pięć lat, a Zezia osiem. Giler był inny niż wszystkie znane Zezi dzieci. Mówił tylko trochę i to bardzo niewyraźnie. Dlatego zamiast gniewać się na swojego brata, Zuzia ucieszyła się, że Czarek, czyli Giler, zawołał na jej widok: „O, Zezia!!!".

A dlaczego Czarek został Gilerem? Zezia nazwała go tak, bo Czarek nie umiał wysmarkać nosa do chusteczki i bardzo często zdarzało mu się chodzić „z gilami pod nosem", jak to zawsze nazywał Tata Zezi i Gilera.

W ogóle to Giler był dziwny. Cały czas miał katar, co chwila się przeziębiał. Był zawsze bardzo delikatny i musiał być na diecie. Dużo różniło Zezię i Gilera. Zezia miała ciemne proste włosy, które Mama Zezi związywała w kucyk lub w dwie kitki. Giler miał jasne kręcone włosy, ale od jakiegoś czasu Tata Zezi i Gilera strzygł go maszynką do włosów na bardzo krótkiego jeżyka. Giler był bardzo zadowolony, bo lubił gładzić się po świeżo ostrzyżonych włosach. Mógł się tak gładzić bardzo długo.

Zezia była „dobrze odżywiona". Tak mówiła o niej Babcia Jasnowłosa, Mama Taty, która była zawsze bardzo szczęśliwa, że Zezia zjada wszystko, co się jej przygotuje. Giler z kolei był bardzo wysoki jak na swój wiek, ale chudy jak słomka, więc Babcia Jasnowłosa ciągle narzekała i wypytywała Mamę Zezi i Gilera, czy przypadkiem nie głodzi swojego synka. Babcia Jasnowłosa była przeciwniczką diety, na którą musiał przejść Giler, bo uważała, że to jakaś bzdura, która pozbawia jej wnuczka, i tu pada mądre słowo, pełnowartościowych składników. Zezia jednak uważała, że to dobrze, że Giler jest na diecie, bo przedtem działy się z nim bardzo przykre rzeczy. Potrafił się drapać przez cały dzień, a nawet nie spać w nocy, a wówczas nikt nie spał. Bo mieszkanie Państwa Zezik nie było za duże.

Cała rodzina plus kotka, która nazywała się Idźstąd, mieszkała w kamienicy przy ulicy

Grójeckiej w Warszawie. Zezia bardzo lubiła to mieszkanie i swój malutki pokoik, ale wiedziała, że Mama nie jest zadowolona z tak niewielkiego, i tu pada mądre słowo, metrażu.

Zezia mieszkała w bardzo malutkim pokoiku, w którym mogło się zmieścić tylko piętrowe łóżko i biurko oraz krzesełko. Giler miał do dyspozycji zdecydowanie większy pokój. Mieszkały w nim również wszystkie zabawki Zezi. Tak naprawdę w tym większym pokoju Zezia i Giler zwykle bawili się razem, choć trochę osobno, ale wieczorem Zezia szła spać do swojego pokoiku, a Giler zostawał w większym. Miał piękne łóżko w kształcie samochodu. Giler uwielbiał wszystkie pojazdy, a szczególnie traktory. Bardzo lubił, gdy Zezia brała jego ulubioną książkę „Traktory świata" i czytała mu na głos nazwy i modele traktorów. Z czasem potrafiła sama bez podglądania nazwać każdy pojazd.

To dżon dir do upraw rzędowych, a to masej ferguson z podniesionym prześwitem.

Zezia uwielbiała cofnąć się trochę w drodze ze szkoły i minąć oddział banku, w którym pracowała Mama Zezi. Jej stanowisko pracy było tuż przy oknie, więc

bardzo często Zezi udawało się pomachać Mamie, która odmachiwała dyskretnie, gdy właśnie obsługiwała klienta lub gdy w pobliżu kręciła się Pani Kierownik. Rzadko, ale zdarzało się, że Mama kiwała Zezi, że może wejść do środka. Wtedy padały sobie w ramiona, jakby nie widziały się ze dwa lata. Zezia witała się potem z koleżanką Mamy, która miała biurko bardziej w głębi. Nazywała się Weronika Chuchroń i była Mamą Julki, czyli najlepszej przyjaciółki Zezi. Julka i Zezia chodziły do tej samej klasy i siedziały razem w ławce.

Tata Zezi był rzeźbiarzem i pracował w domu. Mama nie była tym zachwycona, bo Tata robił zawsze dużo bałaganu, który akurat bardzo lubiła Zezia. Uwielbiała patrzeć, jak Tata pracuje. Tata zawsze pozwalał Zezi siadać obok i też coś rzeźbić. Zezia chciała zostać rzeźbiarką jak Tata, ale uważała, że musi się jeszcze dużo nauczyć.

Giler tak jak Mama nienawidził bałaganu. Kiedy był młodszy, potrafił pozbierać wszystko z miejsca pracy Taty i wyrzucić do śmieci. Tata bardzo się wtedy denerwował.

Problem w tym, że Tata tak naprawdę nie miał wyznaczonego miejsca do pracy. Czasem rozkładał narzędzia w łazience, czasem w kuchni, a czasem w saloniku. Żadne z tych miejsc nie podobało się Mamie. Bardzo często kłócili się o to, gdzie Tata ma rzeźbić.

W końcu Tata znalazł jakiś opuszczony garaż i przeniósł tam część rzeczy. Większość jednak trzymał w domu i u Babci Jasnowłosej, o co też były kłótnie, bo Mama miała żal do Babci Jasnowłosej, że zamiast wyszykować pokoje dla wnucząt, by je kiedyś do siebie w końcu zaprosić (Zezia i Giler nigdy nie byli u Babci Jasnowłosej w domu), „robi składnicę dla tych hasiorów".

Jako że druga Babcia miała tak samo na imię jak Babcia pierwsza, Zezia do jednej mówiła Jasnowłosa, a do drugiej Ciemnowłosa. Mama Mamy Zezi była Babcią Ciemnowłosą. Oprócz tego Zezia miała jeszcze Dziadka, Tatę Mamy. Dziadka nazywano po prostu Dziadkiem, bo Zezia nie miała drugiego. Dziadek Zezi był bardzo zapracowany. Codziennie po śniadaniu i ćwiczeniach, które odbywał zawsze o tej samej godzinie przez dokładnie dwadzieścia jeden minut, wychodził z domu i wracał wieczorem. Zezia jednak nie wiedziała, czym zajmował się Dziadek ani gdzie pracował. Kiedyś spytała o to Babcię Ciemnowłosą, ale Babcia też nie wiedziała i widać było, że ten temat bardzo ją denerwuje, więc Zezia postanowiła więcej nie pytać. Zezia bardzo lubiła przyjeżdżać do Babci Ciemnowłosej i Dziadka na wakacje.

Zezia miała jeszcze Ciocię Zagranicę. Nigdy jej nie widziała na oczy, ale dostawała od niej przepiękne prezenty w paczkach, które przychodziły na adres Rodziców tuż przed Bożym Narodzeniem. Ciocia Zagranica, której imienia Zezia nie potrafiła zapamiętać, bo Mama każdorazowo witała paczkę od Cioci słowami: „O, Zagranica paczkę przysłała", no więc Ciocia była siostrą Mamy. Podobno dawno, dawno temu wyjechała za granicę, kiedy jeszcze była młodą dziewczyną. Wiadomo też, że zrobiła to z miłości. Zezia kiedyś usłyszała, że Ciocia Zagranica nie ma dzieci i jest sama. Chciała bardzo spytać Mamę, czemu Ciocia siedzi tam sama i czemu nie może wrócić do Babci i Dziadka, ale czuła, że Mama nie lubi rozmawiać na temat Cioci.

I to by było tyle, jeśli chodzi o najbliższą rodzinę Zezi i Gilera.

Kotka Idźstąd

Jak to już wcześniej zostało powiedziane, Zezia razem ze swoim młodszym bratem Gilerem, Mamą i Tatą oraz kotką Idźstąd mieszkała w kamienicy przy ulicy Grójeckiej w Warszawie. Kotka liczyła sobie dziesięć lat i pojawiła się w rodzinie Zezików, zanim jeszcze Rodzice Zezi i Gilera zostali ich Rodzicami.

Kotka przybłąkała się któregoś zimnego jesiennego wieczoru i wybrała sobie akurat wycieraczkę pod drzwiami Państwa Zezik, by powić sześć pięknych kociąt. Kocią rodzinkę odkryła Mama Zezi rano, gdy wychodziła do pracy. Tata Zezi zawsze powtarzał, że koty dobrze wiedzą, kto się nimi najlepiej zaopiekuje.

Zezia uwielbiała słuchać opowieści o tym, jak kotka znalazła się w domu Państwa Zezik.

Wielokrotnie prosiła o opowiadanie historii kotki, aż w końcu znała ją na pamięć i czuła się tak, jakby to ona znalazła swoją ukochaną kotkę Idźstąd. Opo-wieść kończy się zawsze smut- no: kiedy okazało się, że główną przyczyną okropnych duszno- ści Gilera, wysypki i jego wiecz- nego kataru jest właśnie kotka, która do niedawna nazywała się Łatka, Rodzice zaczęli coraz częściej wołać do niej: „Idź stąd!"". Przez moment rozważali nawet oddanie kotki w dobre ręce, ale to był tylko moment, bo Zezia bardzo kochała Łatkę. Kiedy usłyszała rozmowę Rodziców, którzy zastanawiali się, komu mogliby ją oddać, zaczęła bardzo żałośnie płakać i poczuła się bardzo, bardzo nieszczęśliwa. Rodzice Zezi zgodzili się zatrzymać zwierzaka pod warunkiem, że Zezia będzie pilnowała, żeby Łatka nie spała w łóżku Gilera ani nie przebywała w jego pokoju.

Na szczęście kotka Łatka była bardzo mądra i zachowywała się tak, jakby dobrze rozumiała, o co Rodzice prosili Zezię. Nigdy nie kręciła się w pobliżu Gilera i spała tylko w pokoiku Zezi. Od momentu, kiedy częściej wołano do niej: „Idź stąd!" niż „Łatko!", kotka po prostu stała się niewidzialna.

Widywała ją tylko Zezia, ponieważ dawała jej świeżą wołowinkę, o którą prosiła Tatę, który co drugi dzień chodził do sklepu mięsnego.

Zezia zmieniała jej codziennie wodę w miseczce, a raz w miesiącu, będąc z Rodzicami w sklepie zoologicznym, przypominała im, żeby kupili specjalną trawę dla kotów. Zezia od razu po przyjściu do domu otwierała plastikowe pudełko z ziarnami trawy i zalewała je filiżanką wody, a potem przykrywała wieczkiem i odstawiała pojemnik na szafkę w kuchni. Po kilku dniach należało tylko uchylić nieco wieczko, by trawa rosła prosto, a w następnych dniach odsłonić całkowicie pojemnik, bo trawa robiła się już naprawdę taka, jak należy: długa i zielona.

Zezia bardzo kochała kotkę Idźstąd, a kotka Idźstąd bardzo kochała Zezię.

Zezia pamięta na przykład, jak kiedyś bardzo rozbolał ją brzuch, bo razem z Gilerem zjedli całe opakowanie pistacji. Mama Zezi dała jej wtedy jakieś lekarstwa, ale wiele to nie pomogło. Wtedy kotka Łatka, częściej zwana Idźstąd, wskoczyła do łóżka Zezi i położyła się na jej brzuchu. Zezia czuła jej ciepłe futerko i trochę się uspokoiła, a potem po prostu zasnęła. Kiedy się obudziła, kotka Łatka nadal spała na jej brzuchu, który już w ogóle nie bolał. Tata Zezi powiedział potem, że koty wyciągają z ludzi wszystko, co szkodliwe. Zezia zastanawiała się wtedy, jak ułożyć kota na Gilerze, żeby w końcu przestał się wygłupiać i zaczął ładnie mówić.

Kamienica

Rodzice Zezi mieszkali na pierwszym piętrze w starej kamienicy, która miała też innych lokatorów. Niestety, nie było wśród nich żadnej innej dziewczynki w wieku ośmiu lat.

Na samej górze mieszkał Straszny Pan. Straszny Pan był siwy i miał brodę. Wyglądał trochę jak Święty Mikołaj, ale niestety nie był tak sympatyczny. Mama bardzo nie lubiła Strasznego Pana, bo zawsze był wobec niej nieuprzejmy, nigdy pierwszy nie mówił: „Dzień dobry" i głośno komentował na przykład to, co znajdowało się w siatkach z zakupami Mamy, gdy stawiała je przy windzie, by otworzyć drzwi wejściowe. Wtedy Straszny Pan zwykle był w pobliżu albo akurat schodził po schodach. Nigdy nie korzystał z windy, a jego głównym zajęciem było – w zależności od pory roku –

odśnieżanie lub odkurzanie starego auta, które stało pod domem. Zezia, gdy akurat miała wolną chwilę, lubiła patrzeć przez okno, jak Straszny Pan dokładnie i powolutku czyści każdy zakamarek, każde wgłębienie i wypukłość auta.

W trakcie szorowania samochodu Straszny Pan cały czas mówił do siebie na głos. Tata Zezi powiedział, że kiedyś przypadkiem przechodził obok Strasznego Pana, gdy ten pucował swoje auto, i usłyszał, że Straszny Pan niby mówi do siebie, ale tak naprawdę – do swojej żony. Bo Straszny Pan miał żonę, Straszną Panią, która była tak samo niemiła jak on. Była niemiła przede wszystkim dla swojego męża. Straszny Pan nie miał śmiałości przeciwstawić się żonie, ale przy myciu auta mówił jej podobno bardzo przykre rzeczy, tylko że Straszna Pani nie mogła tego słyszeć. Raz wychyliła się z okna, gdy wyjątkowo długo Straszny Pan zajmował się samochodem, i zawołała: „Lucjan!

Lucjaaaan! Ty zaraz do rdzy tego grata obczy-ścisz! Do domu!". Wtedy Straszny Pan z we-stchnieniem powoli schował wszystkie przybory do czyszczenia auta w aucie i wrócił nieśpiesz-nie do domu, na trzecie piętro.

Naprzeciwko Zezi i Gilera mieszkała Pani Artystka wraz z córką dużo starszą od Zezi. Mama bardzo narzekała, że gdy Giler miał zapalenie płuc i płakał w nocy, to wszyscy są-siedzi się skarżyli, ale gdy córka Pani Artystki śpiewała z koleżankami na balkonie od północy do rana, to jakoś nikt jej nie słyszał. Oprócz Mamy.

Na parterze mieszkali Państwo Denko i ich dwa psy: Przestań i Przestań Do Cholery. Państwo Denko w każdy likend, czyli od piątku do niedzieli, kłócili się i tupali. Zaczynali o szóstej rano i kończyli o dwudziestej drugiej zgodnie z przepisami o ciszy nocnej. Przez cały ten czas krzyczeli na siebie, a wtedy ich psy zaczynały szczekać. Pan Denko wołał więc do jednego psa: „Przestań", a Pani Denko do drugiego: „Przestań, do cholery!". Pomimo takich awan-

tur zawsze na drugi dzień Państwo Denko szli zgodnie pod rękę do sklepu spożywczego wraz z dwoma psami. Rodzice zawsze powtarzali, że to dobrze, że Państwo Denko nie mają dzieci, ale Zezia uważała, że może gdyby je mieli, nie mieliby czasu tyle się kłócić, bo musieliby się zająć swoimi dziećmi, tak jak Rodzice Zezi zajmowali się nią i Gilerem.

Naprzeciwko Państwa Denko mieszkanie wynajmowali studenci. Byli w miarę spokojni. Czasem zdarzało się im trochę hałasować, ale generalnie Mama i Tata nie narzekali na nich.

Mama Zezi zawsze bardzo ubolewała, że nie trafili z Tatą na lepsze sąsiedztwo.

Właściwie można by było tylko Zezi współczuć, ale na szczęście mieszkała jeszcze nad nimi Pani Ania zwana przez Zezię Czarną Panią. Czarna Pani nie miała własnych dzieci. Była piękna i zawsze chodziła pięknie ubrana. Mama Zezi mówiła, że musiała być jeszcze piękniejsza, gdy była młoda. Pani Ania kochała

Zezię i Gilera, jakby byli jej dziećmi, ale nie za-
pominała o tym, że Zezia i Giler mają już swoich Rodziców. Nigdy się nie narzucała ze swoją
pomocą i pojawiała się tylko wtedy, kiedy Rodzice Zezi ją o to prosili. Zezia bardzo lubiła Panią Anię. Giler też nic przeciwko niej nie miał.

Na koniec pozostaje tylko wspomnieć
o Pani Modelce, która mieszkała naprzeciwko
Pani Ani, i o Panu Trampku, który mieszkał
naprzeciwko Strasznych Państwa. Pan Trampek był bardzo przystojnym i wysportowanym
panem, który codziennie po pracy wsiadał na
rower i jeździł parę ładnych godzin. Mama
zawsze stawiała Pana Trampka jako przykład,
a wtedy Tata Zezi i Gilera tylko milczał. Pan
Trampek pracował na siłowni jako trener. Zezia pamięta, jak kiedyś Tata był bardzo zły na
Mamę, bo za długo jego zdaniem rozmawiała z Panem Mariuszem na korytarzu. Bo Pan
Trampek miał na imię Mariusz. Giler zawsze
się bardzo ożywiał na widok Pana Mariusza, bo

Pan Mariusz siłował się z Gilerem tak na niby i Giler wtedy aż piszczał z radości. Tata też bardzo lubił Pana Mariusza, ale to właśnie on nazwał go Panem Trampkiem. Bo nikt Pana Mariusza nie widział w innym obuwiu. Mama broniła Pana Mariusza, odpowiadając Tacie, że z kolei jego nikt nigdy nie widział w sportowych butach, a jak kiedyś kupił kąpielówki i gogle do pływania z zamiarem chodzenia na basen, to skończyło się na tym, że Mama używała tych gogli do obierania cebuli. To znaczy

zakładała gogle, żeby nie piekły jej oczy, gdy trzeba było posiekać cebulę na obiad.

Została jeszcze tylko do opisania Pani Modelka, która była bardzo chuda i rzadko kiedy się uśmiechała. Zezia była więcej niż pewna, że Pan Trampek, czyli Pan Mariusz, jest w niej zakochany, ale Pani Modelka była zawsze tak zajęta rozmową przez komórkę, że nie miała czasu rozejrzeć się wokół siebie, a co dopiero zauważyć któregokolwiek z sąsiadów. Chociaż

Mama uważała, że zawsze jakimś dziwnym trafem Pani Modelka wpadała na Tatę Zezi i Gilera. Mama Zezi nazywała Panią Modelkę Tyką. Zezia czuła, że Mama nie przepadała za Panią Modelką, bo Tata był wobec niej bardzo szarmancki. Kłaniał się nisko, a nawet kiedyś pocałował ją w rękę, składając życzenia tuż przed Bożym Narodzeniem. Pani Tyka też miała kota, ale kot Pani Tyki był jakiś dziwny. Kiedyś pękła rura w łazience u Państwa Zezik i trzeba było wyłączyć wodę w, i tu pada dziwne słowo, całym pionie. Zezia miała pójść do wszystkich sąsiadów i przeprosić ich, że przez parę godzin nie będzie wody. Gdy zapukała do drzwi Pani Tyki, po chwili ujrzała ją we własnej osobie w towarzystwie kota. Kot miał na imię Turkus. Zezia nie musiała pytać dlaczego. Jego piękne, choć zimne niebieskie oczy uważnie obserwowały każdy ruch Zezi. Pani Modelka westchnęła głęboko, westchnął również Turkus i drzwi zamknęły się Zezi przed nosem. Tata

Zezi uważał, że Pani Modelka powinna zrobić karierę za granicą, ale ku radości Mamy Zezi Pani Modelka zagrała w reklamie herbatki na zatwardzenie. Zezia też się ucieszyła, w końcu bądź co bądź Pani Modelka była jej sąsiadką. Mieszkać tak blisko znanej osoby z telewizji – to jednak było coś. Julka jednak miała jeszcze lepiej, bo mieszkała w tym samym domu co znany serialowy aktor, w którym kochały się wszystkie dziewczynki z klasy Zezi. No, może poza Zezią. W sercu Zezi było miejsce tylko dla Wojtka Koca, jeśli chodzi o te sprawy.

Obowiązki Zezi

Zezia z czasem nauczyła się, że mieć obowiązki jest bardzo przyjemnie. Sprawdziła to kiedyś, gdy tradycyjnie Ciocia Zagranica przysłała paczkę tuż przed Bożym Narodzeniem i Mama poprosiła Zezię, by najpierw wytarła wszystkie sztućce i poukładała je w kuchennej szufladce. Na początku Zezia była bardzo rozczarowana, że zamiast rozwijać z kolorowego papieru cu-

downy z pewnością prezent, ma przed sobą
stertę łyżek, łyżeczek, widelców, noży i dwie
chochle do zupy. Ale w miarę wycierania kolejnych łyżeczek i wkładania ich do odpowied-
nich przegródek Zezia wymyśliła wspaniałą
zabawę. Otóż wyobraziła sobie, że duże łyżki
to piękne księżniczki, widelce to wspaniali ry-
cerze, noże to źli rozbójnicy, a małe łyżeczki
to córki dużych łyżek – księżniczek. Zaczęła
więc z zamkniętymi oczami wrzucać sztućce do
przegródek w szufladzie. Jeśli widelec trafił do

przegródki z nożami, to oznaczało, że rycerz wpadł w zasadzkę złych rozbójników, jeśli widelec wylądował w przegródce z łyżkami, to Zezia wymyśliła, że rycerz właśnie znalazł się w komnacie księżniczki. Od razu zakochiwał się do końca życia i obiecywał jej wierność i miłość. Gdy duża łyżka wpadała do przegródki z małymi łyżeczkami (choć to zdarzało się rzadko, bo przegródka dla łyżeczek była mała i Zezia musiała trochę podglądać, by wrzucić do niej inny sztuciec niż małą łyżeczkę), no więc to oznaczało, że mama łyżka przyszła odebrać swoją córkę łyżeczkę ze szkoły. Tak się to Zezi spodobało, że kiedy wytarła wszystkie sztućce, chciała rozpocząć całą zabawę od nowa. Na szczęście przypomniała sobie o paczce od Cioci Zagranicy i z wielką radością zabrała się

37

do rozpakowania swojego zawiniątka z kolorowym napisem ZUZANNA. Zezia była bardzo szczęśliwa, bo dostała piękny różowy notatnik na kłódkę ze złotym kluczykiem i już do końca wieczoru mogła zapisywać w nim swoje sekretne myśli, wiedząc, że nie ma już żadnych domowych prac do wykonania.

Oprócz wycierania sztućców i układania naczyń do szafek Zezia umiała obierać ziemniaki, odkurzyć swój pokój, sprzątnąć zabawki, wyrzucić śmieci i zrobić jeszcze parę innych rzeczy. Każde zadanie, zwłaszcza takie, które się Zezi szczególnie dłużyło, można było zamienić w zabawę.

Zezia pamięta, jak któregoś wieczoru tuż przed snem Giler wskoczył na jej biurko i niechcący zrzucił wszystkie długopisy, flamastry, ołówki, kredki, pisaki, kartki, zeszyty, gumki, temperówki, które były na nim poukładane w specjalnych stojakach, pudełkach i pojemnikach. W pierwszym momencie Zezia bardzo się rozgniewała, bo była już bardzo zmęczona

i chciała iść spać. Zaczęła powoli zbierać porozrzucane po pokoiku przedmioty i cały czas myślała, jak zamienić ten przykry obowiązek w zabawę. No i udało się. Wyobraziła sobie, że każdy mazak i kredka mówią do niej: „Zeziu, tak bardzo chcemy zasnąć w naszych domkach, ale wydarzyła się taka katastrofa, takie trzęsienie ziemi! Prosimy cię, Zeziu, poukładaj nas na swoje miejsca. Każdy z nas chce być w łóżeczku obok swojego sąsiada, tak jak to było od wieków...". No i Zezia zbierała każdy długopis, pędzel i gumkę. Starannie odkładała je na swoje miejsce, sprzątając przy okazji kurz i kredkowe obierki. A wszystkie przybory do pisania bardzo jej dziękowały i od razu zasypiały szczęśliwe, że mogły znowu być tam, gdzie wcześniej. Zezia nawet nie zauważyła, kiedy skończyła.

Najbardziej była zadowolona z zamiany nudnego obierania ziemniaków w coś zupełnie nowego. Kiedyś Tata Zezi opowiadał, że jak chłopak idzie do wojska, to bez względu na dłu-

gość włosów, z jakimi przychodzi, musi być obowiązkowo ostrzyżony na łyso. Gdy przyszło do obierania ziemniaków, a Zezia zawsze musiała obrać ich dużo, zaczęła sobie wyobrażać, że każdy ziemniak to głowa żołnierza, a Zezia to fryzjer. Zaczęła więc rozmawiać z każdym obieranym ziemniakiem: „No to skąd przyjechaliście, szeregowy Kowalski? Nie martwcie się, to potrwa tylko chwilę. Teraz kolej na pana, jak pan się nazywa?". A każdy ziemniak odpowiadał: „Jestem z Zielonej Góry" albo „Jestem z Ustronia", „z Białegostoku". I w ten sposób czas szybciej upływał, a wielki garnek zapełniał się ziemniakami szybciej, niż Zezia się spodziewała.

Likend

Najnudniejsze były zawsze likendy. Mama Zezi była wtedy bardzo zmęczona. Albo odsypiała do południa cały tydzień pracy, albo brała się za sprzątanie, prasowanie i te wszystkie nudne zajęcia. Tata Zezi leżał długo w łóżku, a potem oglądał telewizję. Giler nie miał żadnych zajęć, więc jeśli była ładna pogoda, to Tata szedł z nim i Zezią do parku, a jeśli było bardzo zimno, to wszyscy siedzieli w domu. Giler dostawał wtedy plastelinę do lepienia, a Zezia bawiła się lalkami lub szła do swojej przyjaciółki Julki, która mieszkała po drugiej stronie ulicy.

Julka miała jeszcze dwoje rodzeństwa. Zezia zawsze zazdrościła, że Julka ma siostrę i brata. Siostra Julki miała piętnaście lat i była zbuntowana. Julka i Zezia chciały być takie jak Laura. Laura miała krótkie włosy, kolczyk

w nosie i bardzo głośno słuchała muzyki. Kłóciła się ze swoją Mamą, ale za to bardzo lubiła Mamę Zezi, której często zwierzała się ze swoich problemów. Julka miała jeszcze młodszego brata Jaśka, który miał trzy lata i właśnie poszedł do przedszkola. Bywał tam jednak tylko przez chwilę, bo od razu przychodził przeziębiony i chorował dwa tygodnie. Po czym znowu szedł w poniedziałek do przedszkola, a już w czwartek świeciły mu się oczy i w piątek rano leżał z wysoką gorączką w łóżku.

Czasem Julka przychodziła w odwiedziny do Zezi. Siedziały sobie albo w kuchni, albo w małym pokoiku Zezi, albo w pokoju Gilera. Giler zwykle im nie przeszkadzał, choć czasem patrzył, jak się dziewczynki bawią, i zaczynał się śmiać. Julka przyzwyczaiła się, że Giler jest inny niż wszystkie dzieci, jakie kiedykolwiek poznała. Zezia była jej za to bardzo wdzięczna.

Kiedy Julka była gościem Zezi, najczęściej piekły specjalne kruche ciastka dla Gilera; były

tak smaczne, że wszyscy chcieli je jeść. Giler
zjadał tylko trochę, a potem patrzył, jak jedzą
inni. Mama Zezi lubiła, gdy w likend odwiedzała ich Julka, bo Tata musiał wtedy szybko
wstać, by pościelić łóżko i się przebrać. Inaczej
Tata potrafił przez cały dzień chodzić w piża-
mie lub nawet nie chodzić, tylko leżeć w łóżku.
To zawsze bardzo denerwowało Mamę Zezi.

Mama Zezi bardzo lubiła, gdy wystawa Taty
wypadała akurat w likend. Wtedy przyjeżdżała Babcia Jasnowłosa, by zająć się Gilerem,

a Mama i Zezia miały czas dla siebie. Jechały więc najpierw do wielkiego sklepu z ubraniami, gdzie Zezia mogła sobie wybrać nowe buty lub sukienkę. Potem szły coś zjeść albo wędrowały do kina na jakiś zabawny film, albo spacerowały po parku.

W zależności od pory roku Mama miała różne pomysły na wspólne spędzanie czasu. Mama bowiem zawsze miała konkretny plan działania. Najczęściej już po południu w piątek Mama szykowała torby dla siebie i Zezi. Bilety na pociąg były już dawno kupione. Mama całymi miesiącami siedziała w banku, więc zawsze marzyła o wyjeździe gdziekolwiek, jeśli nie była bardzo zmęczona. Tata wolał siedzieć w domu i zawsze bardzo wzdychał, gdy Mama nalegała, by gdzieś wyjechać. Rodzina Zezików w całości mogła wyjechać albo do Babci Ciemnowłosej i Dziadka, albo do Wujka Rolnika na wieś, albo do Krakowa, do przyjaciółki Mamy, która miała ogromny dom i ogród. Zezia bardzo lubiła Ciocię Edytkę. Giler wolał jeździć do Wujka Rolnika, bo miał tam więcej miejsca na skakanie i bieganie. Najważniejsze jednak były traktory – aż cztery stały w ogromnym garażu u Wujka. Mama chciała odpocząć od wszystkich domowych obowiązków i po prostu siedzieć gdzieś w pięknym miejscu, czytać książkę, mieć czas na rozmowę z koleżanką. Wtedy jednak musiałaby jechać gdzieś sama, bo nie dawało się nic nie robić przy Gilerze i Zezi, choćby dlatego, że dzieci były bardzo stęsknione za towarzystwem Mamy, która od poniedziałku do piątku przychodziła do domu o 17.30. Nie opuszczały jej więc na krok. Mama dobrze o tym wiedziała. Dlatego najczęściej rezygnowała z wyjazdu na rzecz drzemki w domu i sprzątania mieszkania.

Rodzice Zezi i Gilera

Zezia zawsze się zastanawiała, jak to się stało, że Mama zakochała się w Tacie, a Tata w Mamie. Oboje przecież tak bardzo się różnili. Mama była punktualna i obowiązkowa, pomagała Zezi w zadaniach z matematyki i w wolnym czasie zawsze miała coś do zrobienia. Kładła się wcześniej spać, by wstać wcześnie rano. Tata z kolei spóźniał się na każde spotkanie, często w ogóle zapominając o tym, że był z kimś umówiony. Kiedy nie rzeźbił, najczęściej siedział przed komputerem lub patrzył w telewizor. Gdy Mama, Giler i Zezia szli spać, Tata ożywiał się i potrafił robić coś do późna w nocy. Rano, kiedy Giler bezlitośnie budził się o 5.47 i rozpoczynał nowy dzień potężnym kichnięciem, Tata był kompletnie nieprzytomny. Wtedy musiała wstawać Mama, by wytrzeć nos Gilerowi i zrobić mu śniadanie.

Mama Zezi nosiła obrączkę, Tata Zezi nie. Zezia pamięta, jak któregoś dnia Mama szykowała się na wyjazd, i tu pada trudne słowo, integracyjny i wtedy Tata, patrząc, jak Mama z wesołą miną pakuje torbę, spytał, czy pamięta, że nosi obrączkę. Zezia bardzo się wtedy zdziwiła pytaniem Taty, bo przecież to on nie nosił obrączki, a Mama swoją zawsze. Nigdy jej nie zdejmowała, dlatego obrączka Mamy była mocno porysowana, podczas gdy obrączka Taty, która od dnia ślubu leżała nietknięta w drewnianej szkatułce z cepelii, była lśniąca i gładka.

Mama Zezi lubiła jeść różne wykwintne dania. Tata Zezi mógł jeść codziennie to samo. Mama Zezi lubiła kupować sobie nowe buty, bluzki i spódnice, podczas gdy Tata nie znosił, gdy Mama próbowała mu kupić nowe ubranie. Tata Zezi był dumny, że nosił buty jeszcze z czasów studenckich i miał koszulę ze swojego pierwszego wyjazdu zagranicznego. Rodzice Zezi bardzo często kłócili się z powodu ubrań

Taty. Mama wyglądała zawsze elegancko, gdy szła rano do pracy. Tata dwa razy w roku ubierał się elegancko i to tak trochę inaczej elegancko niż Mama. Raz w święta Bożego Narodzenia, a raz gdy odbywała się wystawa. Mama była zawsze bardzo podenerwowana, gdy zbliżał się dzień wystawy, bo wtedy Tata się ożywiał i stawał się jeszcze bardziej roztargniony niż na co dzień. Ciągle czegoś szukał, ciągle coś gubił. Zezia pamięta, jak kiedyś robił ostatnie poprawki swojej rzeźby przyborami Mamy do, i tu pada trudne słowo, manikiru. Mama była oburzona, a zawsze gdy Mama Zezi się oburzała, z nerwów przekręcała słowa, a wtedy Tata Zezi chichotał cichutko, a Mama robiła się czerwona i wychodziła do łazienki, gdzie długo szorowała wannę. Zezia założyła malutki zeszycik, w którym zapisywała przekręcone przez Mamę słowa. I tak na przykład Mamie Zezi zdarzało się powiedzieć: „bo zaraz szlafi mnie trak", „nie cierpię siej psierści", „jadę zaraz do Toruszczy, a potem do Bydgonia", „to moda na twój włyn" i wiele innych.

Mama Zezi lubiła włączyć ulubioną stację radiową i słuchać radosnych piosenek, przy których sobie lekko podrygiwała. Najczęściej słuchała muzyki w kuchni, gdy przygotowywała obiad. Tata z kolei wolał muzykę bez śpiewania. Najlepiej, żeby utwór trwał jak najdłużej i był złowrogi. Zezia lubiła słuchać ulubionych płyt Taty, bo zawsze mogła sobie wyobrażać różne historie. Najbardziej lubiła Pana, który się nazywał Jean-Michel Jarre, a mówiło się na niego żan miszel żar. Kiedy była przeziębiona i nie szła do szkoły, zostawała z Tatą i naprawdę to uwielbiała. Czasem chciała być częściej chora, by tylko przeżywać takie miłe dni. Tata, żeby umilić czas Zezi, puszczał swoje ulubione płyty, które z czasem stały się ulubionymi płytami Zezi. Pomimo zakazu Mamy Tata i Zezia robili sobie puchary lodowe i najczęściej nie jedli obiadu. Zezia mogła cały dzień rysować

i milczeć z Tatą, który nie mówił za wiele, ale Zezia wiedziała na pewno, że bardzo, baaaaardzo jest przez Tatę kochana. Zdarzało się też tak, że Zezia była chora, a Tata akurat wyjeżdżał na wystawę. Mama jednak musiała iść do pracy, więc albo Zezia szła na górę do Pani Ani, albo przyjeżdżała Babcia Jasnowłosa.

Rodzice Zezi czasem się kłócili. A to o to, kto nie zgasił światła w łazience, a to o to, jakim cudem Giler znalazł mleczko do kawy, które właśnie wyssał z tuby, i zaczynał się potwornie drapać. Kłócili się o bałagan w pokoju, o to, że pieniądze nie na wszystko starczają, a Tata właśnie nie zdążył z jakimś zleceniem i nie uda mu się w tym miesiącu nic zarobić. Czasem w domu Zezi bywało bardzo cicho. Zezia jednak wiedziała, że to nie była miła cisza, a już na pewno wiedziała, że jest niemiło, gdy Rodzice mówili do niej: „Zeziu, idź i powiedz Tacie", „Zeziu, przekaż Mamie". Mówili to jednak tak głośno, że jedno dokładnie słyszało, co mówi drugie, i Zezia ze smutkiem dziwiła się, że potrzebują jej do kontaktowania się ze sobą. Na szczęście już na drugi dzień rano Tata całował Mamę, która, choć przecież śpieszyła się do pracy, robiła Tacie ulubione kanapki z białym serem i gorącą czekoladę.

Mama i Tata Zezi po prostu bardzo się kochali i bardzo kochali Zezię i Gilera, choć jego zdecydowanie trudniej się kochało, szczególnie gdy zdarzało mu się wstawać o drugiej w nocy i domagać się śniadania. Zezia bardzo lubiła siadać ciasno z całą rodziną na małej kanapie. Działo się to zawsze, gdy Mama rozpoczynała temat małego mieszkania, starych mebli i niewyniesionych worków z za małymi ubraniami Zezi i Gilera. Mamie baaaardzo marzyła się nowa kanapa.

Tata wtedy mówił: „Ależ kochanie, przecież cała rodzina mieści się na naszej kanapie". I wtedy Zezia, Giler i Tata przesuwali się tak, by zrobić miejsce Mamie, która zrezygnowana siadała między nimi. Wtedy Tata zaczynał głaskać ją po włosach i mówić, że przecież najważniejsze jest to, że są razem. Mama wtedy wzdychała głęboko, a potem oboje zaczynali łaskotać Gilera, który śmiał się radośnie, a Zezia cieszyła się, że ma właśnie takich Rodziców.

Szkoła

Zezia miała bardzo blisko do szkoły. Musiała tylko przejść na drugą stronę ulicy i minąć plac. Na placu zawsze był duży ruch, więc Mama Zezi zabraniała jej tam się zatrzymywać i z kimkolwiek rozmawiać. Na ławkach szczególnie latem rozsiadali się bardzo dziwnie wyglądający ludzie. Zezia miała swoją ulubioną Panią, którą bardzo często obserwowała przez okno swojego pokoju i gdy akurat ją mijała, idąc do szkoły lub wracając. Zawsze się jej kłaniała, bo chciała usłyszeć, jak ta nieznajoma Pani odpowiada jej z ogromną radością: „Witaj, ślicznotko!". Nikt tak nie mówił do Zezi, tylko ta Pani, która nawet w największy upał potrafiła siedzieć w futrze i czerwonej wełnianej czapce.

Ławki na placu zajmowali biedni i często bezdomni ludzie. Zezia nieraz pytała Rodzi-

ców, dlaczego tak się dzieje, że niektórzy ludzie nie mają domu i od razu zakazuje się dzieciom z nimi rozmawiać. Rodzice tłumaczyli, że w ogóle trzeba uważać na obcych, bo wśród nich mogą się zdarzyć ludzie niebezpieczni. Wyjaśniali też, że czasem bezdomni sami zasłużyli na swój los, bo byli niedobrzy dla bliskich lub popełnili przestępstwo. Zezia uważała, że nikt nie zasługuje jednak na to, by spać w zimną noc na ławce. Mama powtarzała, że są specjalne domy, do których mogą pójść bezdomni i spędzić noc w czystym łóżku, a także zjeść coś ciepłego.

Zezię to trochę uspokoiło. Tak jak Mama kazała, Zezia szybko przemykała przez plac, ale zawsze kłaniała się Pani w czerwonej czapce, a Pani odkłaniała się i nazywała ją ślicznotką, co Zezia uwielbiała słyszeć. Potem szła przez park, który szybko się zaczynał i szybko się kończył. W parku było o tej porze zawsze dużo psów. Ich właściciele dzielili się według Zezi na takich, którzy kochają swoje psy trochę, bardzo i zdecydowanie za bardzo. Zezia bała się takiej jednej Pani, która miała zawsze niechlujną fryzurę i cztery psy. Psy były bardzo niegrzeczne i groźnie warczały

na każdego, ale Pani z niechlujną fryzurą nie zwracała nigdy na to szczególnej uwagi.

Zezia bardzo lubiła chodzić do szkoły. Była wzorową uczennicą i gospodynią klasy. Koleżanki i koledzy chętnie się z nią bawili, choć były wyjątki.

Kiedyś na apelu dzieci z klasy Zezi przygotowały piosenkę o Kaczce Dziwaczce. Zezia, która była znana z tego, że bardzo dobrze naśladuje odgłosy zwierząt, została wytypowana do naśladowania Kaczki Dziwaczki. Chodziło o to, by naśladować Kaczkę tak po prostu, ale w żadnym wypadku nie zatykać nosa palcami. To nie była żadna wyjątkowa umiejętność. Zatkać nos palcami i udawać głos Kaczki Dziwaczki mógł każdy. Z całej klasy tylko Zezia potrafiła to zrobić tak po prostu. „Poproszę mleka pięć deka!" – ćwiczyła głośno Zezia tuż przed apelem. Gdy po udanym występie Zezia dumnie przechadzała się po korytarzu, niespodziewanie podeszła do niej Klara Podkowa z innej klasy wraz z kilkoma koleżankami i ją zaczepiła. „Ja potrafię lepiej naśladować Kaczkę Dziwaczkę" – odezwała się pełna czegoś niesympatycznego w głosie i powiedziała kaczym głosem: „Poproszę o kilo sera". Zezia nic nie powiedziała, bo była bardzo zaskoczona, ale w duchu pomyślała, że Klarze Podkowie dobrze poszło, ale chyba nie tak dobrze jak Zezi. „W przyszłym tygodniu nasza klasa ma apel i wtedy wszyscy zobaczą, że jestem lepsza" – dodała z wyższością Klara Podkowa i odeszła. Zezia denerwowała się przez cały tydzień. Julka pocieszała Zezię, ale ona i tak była bardzo zdenerwowana, bo bała się, że wszystkie dzieci w szkole będą ją potem przedrzeźniać i śmiać się, że Zezia jednak nie jest najlepszą Kaczką Dziwaczką w szkole. Gdy w końcu nadeszła pora apelu, okazało się, że Klara Podkowa nie przyszła w tym dniu do szkoły, bo miała zapalenie gardła. Potem nie było już okazji, by jej rywalka mogła pokazać swoją wersję Kaczki Dziwaczki. Wszyscy o tym zapomnieli i tylko Zezia pamiętała, drżąc za każdym razem, gdy klasa Klary Podkowy miała przygotować apel.

Zezia lubiła spędzać czas z kolegami z klasy, co jednak nie bardzo podobało się innym dziewczynkom. Kiedyś na godzinie wychowawczej Pani Wychowawczyni była nieobecna i dzieci siedziały z Panem od Fizyki, który stukał ciągle długopisem o blat i wołał: „CISZA! CISZAAAA!". Gdy na chwilę wyszedł z sali, Zezia usłyszała od swoich koleżanek, że za bardzo podrywa chłopaków i to jest powód do wstydu, bo dziewczynka nie powinna narzucać się chłopakom tak jak Zezia. Ale to nie była prawda. Zezia po prostu wolała towarzystwo kolegów, bo nie byli tak kłótliwi jak dziewczynki i można było z nimi gonić się na wuefie i w parku, podczas gdy koleżanki z klasy Zezi szły wolno i plotkowały. Zezia przyjaźniła się tylko z Julką. Reszta dziewczynek była albo nadąsana, albo należała do innej paczki.

Zezia miała serdecznych kolegów: Artura, Tomka, Piotrka i dwóch Marków. Jednego z nich baaaaardzo lubiła Julka, ale oczywiście nie chciała się do tego przed Zezią przyznać. Zezia też miała ulubionego chłopca z klasy. Był nim Wojtek Koc. Wojtek Koc był najszybszy na wuefie i jak na chłopaka dość dobrze się uczył. Był zawsze bardzo ładnie ubrany i wszystkie dziewczynki z klasy baaaaaardzo go lubiły. Zezia wiedziała, że Wojtek Koc najbardziej psoci się, jak się mawiało w domu Zezi, najładniejszej dziewczynce z klasy, Milenie Kossowskiej przez dwa s. Milenę wszyscy lubili, bo jej Tata załatwił do szkoły komputery i był w radzie rodziców, i w ogóle. Milena była bardzo miła i wcale nie wywyższała się z tego powodu, że jej Tata pracował za granicą. Chodziła zawsze skromnie ubrana i uczyła się bardzo dobrze. Wojtek Koc często się z nią przekomarzał, ale Zezia czuła, że tak naprawdę Wojtek Koc podkochiwał się w Milenie Kossowskiej przez dwa s. Zezia zerkała na Wojtka bardzo często podczas lekcji, bo siedział w pierwszym rzędzie, licząc od lewej, a Zezia w środkowym. Wojtek Koc ze swoim najlepszym kolegą Arturem Wielogrodzkim zajmowali ostatnią ławkę. Zezia zaś siedziała w przedostatniej ławce i czasem odwracała się w stronę Wojtka Koca i jego kolegi. Artur Wielogrodzki na początku podstawówki był dość pulchny i niezdarny, ale teraz z chwili na chwilę, z jednej lekcji wuefu na drugą robił się coraz mężniejszy i smuklejszy. Lubił rozmawiać z Zezią o kotach, bo sam miał trzy koty w domu, ale Zezia była zawsze bardzo zajęta jako gospodyni klasy, więc rzadko mogła znaleźć dla niego czas.

W pierwszej klasie wychowawczynią Zezi była Pani Elżbieta Czupurek. Kiedy Pani Czupurek odeszła na emeryturę, wychowawczynią została Pani Wiesława Wons. Dzieci uważały, że Pani Wiesława ma świetne nazwisko, bo rzeczywiście miała lekki wąs, co było ciągłym tematem żartów, ale i tak nie przeszkadzało to dzieciom bardzo lubić Panią Wiesławę Wons. Pani Wiesława była bardzo dobra, aż za dobra i niekiedy chłopcy z klasy wykorzystywali dobroć Pani Wychowawczyni, co zasmucało Zezię.

Czasem Pani Wiesława po prostu nie dawała sobie rady i wołała na pomoc Pana Katechetę, który zdecydowanie lepiej dawał sobie radę z tymi najbardziej niegrzecznymi. Pan Katecheta Józef był na co dzień kościelnym w pobliskim kościele, do którego należała Zezia.

Kiedy trzeba było, Zezia chodziła z dziećmi do kościoła, ale tak poza tym to nie bardzo. Rodzice Zezi nie chodzili do kościoła. Parę razy Zezia była na mszy z Babcią Jasnowłosą i gdy była na wakacjach u Babci Ciemnowłosej. Lubiła zapach kościoła i śpiew organisty. Miała też taki ulubiony moment, gdy ksiądz i wszyscy w kościele śpiewali: „święty, święty, święty Pan Bóg zastępów". Potem trzeba było zaśpiewać: „chwała na wysokości". Zezia zawsze zastanawiała się, na jakiej wysokości znajduje się ta chwała, i wymyśliła, że chwała będzie zawsze na wysokości tylu metrów, ile lat będzie mieć Zezia. I kiedy wszyscy w kościele głośno śpiewali: „chwała na wysokości", to Zezia szybciutko dodawała po cichu: „ośmiu metrów...".

Życie z Gilerem

Giler miał swój świat, od kiedy Zezia pamiętała. Zezia ma świetną pamięć, ale Giler jeszcze lepszą. Któregoś dnia Giler, który był wtedy bardzo rozgadanym dwulatkiem i składał pierwsze słowa, nagle obraził się i przestał mówić. Zezia myślała, a z nią Rodzice, że Giler wystraszył się krowy, będąc po raz pierwszy na wsi u Wuja Rolnika. Bardzo długo bał się krowy, ale kiedy w końcu przestał się jej bać, na przykład przeglądając z siostrą książeczki dla dzieci, w których była mowa o krowach, to i tak nie zaczął mówić. Dlatego tak się wszyscy ucieszyli, gdy nagle po powrocie Zezi od optyka Giler zawołał do Zezi: „Zezia". Mimo że Zezia miała śliczne niebieskie oczy i była wcześniej Zuzią, ucieszyła się ze swojego nowego imienia. Z czasem młodszy brat Zezi zlitował się nad zaniepokojonymi Rodzicami i zaczął mówić, ale bardzo, bardzo niewyraźnie.

Giler miał mnóstwo zasad, których musiała się trzymać cała rodzina. Przy jego łóżku w kształcie samochodu stał granatowy nocny stolik, na którym obowiązkowo musiały leżeć chusteczki do nosa. Wszystkie ubrania Gilera, pięknie uprasowane przez Mamę, były schowane w granatowych komodach. Giler nie lubił nosić koszulek z guzikami i bluzek z golfem. Babcia Jasnowłosa kupiła mu kiedyś

piękną piżamę w paski. Niestety, piżama rozpinała się za pomocą siedmiu granatowych guzików. Mama potem oddała ją jakiemuś chłopcu w przedszkolu Gilera. Prosiła tylko Zezię, by ta nie wspominała o tym Babci Jasnowłosej, żeby jej nie było przykro. Zezia jednak wytłumaczyła Babci, czego Giler nie lubi w ubraniach, i Babcia od tej pory wiedziała, co ma kupować, a czego nie.

Giler wstawał rano o godzinie 5.47, a kładł się spać o 19.20. Tata żartował, że można było ustawiać sobie zegarek według stałych zajęć Gilera. Od poniedziałku do piątku chodził do przedszkola. Wracał z Tatą do domu o 16.12. Zezia nauczyła się przygrzewać zupę dla Gilera w mikrofalówce i kiedy Tata z Gilerem wchodzili do mieszkania, Zezia czekała już z gorącym talerzem. Giler lubił rosół z makaronem. Mógł go jeść codziennie. Tak samo smakowała mu pomidorowa z ryżem. Pił bardzo dużo wody i skakał po domu. Na początku, gdy był

jeszcze mały, skakał na wielkim łóżku Rodziców,
ale gdy połamał wszystkie szczeble w jego ste-
lażu, Rodzice pozwolili mu skakać na kanapie
w pokoju gościnnym, w którym prawie nigdy
nie było gości. Jednak Giler, skacząc na sofie ze
sprężynami, którą Rodzice kupili w komisie me-
blowym, wzniecał kurz i po chwili zaczynał ki-
chać, trzeć oczy i w końcu strasznie płakać, więc
Rodzice oddali sofę znajomym, którzy nie mo-
gli pojąć, dlaczego Rodzice się jej pozbywają.

Zezia na czwarte urodziny Gilera sprezen-
towała mu wraz z Babcią wielką gumową piłkę

z uchwytami. Po kilku chwilach Giler zrozu-
miał, do czego służą uchwyty, i skakał już tylko na piłce. A potem nagle ją odłożył i przestał
mieć ochotę na skakanie w ogóle. Kiedy poznał
już wszystkie modele traktorów, nagle przestał
się nimi interesować. Potem przyszła pora na
plastelinę, ale Giler nie lepił z niej nic konkret-
nego, choć Zezia przysiadała się czasem do jego
stolika, na którym miał rozłożone kolorowe po-
jemniki z kolorową plasteliną, i próbowała mu
pokazać, jak ulepić ślimaka albo zrobić super-

makaron, taki na niby do rosołu. Ale u Gilera nic nie było na niby. Kiedy Zezia kilkakrotnie powtórzyła słowo „makaron", ani się nie obejrzała, a Giler połknął plastelinowe nitki. Trzeba było bardzo uważać na słowa, gdy mówiło się do Gilera. Nie można było na przykład powiedzieć do niego, że JUTRO pojedziemy do Wujka Rolnika, bo dla Gilera był tylko ten czas, w tej chwili, nie było wczoraj ani jutro, a już na pewno nie było pojutrze i za miesiąc.

Zezia kochała swojego brata, ale czasem nie mogła zrozumieć, czemu Giler jest inny niż wszystkie dzieci, które Zezia znała.

Smutki Zezi

Zezia płakała z różnych powodów.

Były smutki z powodów technicznych, czyli na przykład jak kiedyś Zezia przewróciła się na rowerze i nie dało się nie płakać, bo kolano Zezi baaaaardzo spuchło.

Były smutki z powodów rodzinnych, gdy zdarzało się Zezi przyłapać Mamę (najczęściej przy zmywaniu naczyń) na cichym pochlipywaniu. Choć Mama zawsze twierdziła, że to woda z kranu tak pryska na „lawo i prewo", to Zezia dobrze wiedziała, dlaczego Mama się smuciła. Kiedyś słyszała, jak Mama płakała i Tata ją pocieszał, mówiąc cichutko: „Zobaczysz, da sobie radę...". Zezia wiedziała, o kim Rodzice rozmawiają. Robiło się jej wtedy bardzo, baaaardzo przykro, że to nie z jej powodu Rodzice się martwią, i płakała wtedy nad sobą, bo myślała, że widocznie Rodzice nią tak bardzo się nie przejmują. Wyobrażała sobie, że jest nagle bardzo, baaaaaardzo chora na jakąś tajemniczą chorobę i Rodzice płaczą przy jej łóżku, a ona ucisza ich gestem wychudłej ręki.

Zezia widziała film, gdzie działo się coś podobnego. Kiedyś zwierzyła się Tacie, że chciałaby, żeby Rodzice też się o nią tak martwili jak o Gilera. Tata wtedy opowiedział jej historię, prosząc, by zatrzymała ją w tajemnicy, ale Zezia wszystko opowiedziała Mamie i była potem awantura na jedną fajerę (o fajerach będzie za moment).

Świeżo po urodzeniu Zezi Tata poszedł z nią na targ po zakupy. Postawił wózek obok sklepiku, kupił to, co miał zapisane na kartce, i zadowolony wrócił do domu. Dopiero przed kamienicą zorientował się, że zostawił wózek z małą Zezią, a do domu wrócił tylko z zaku-

pami. Na szczęście Państwo ze sklepu, którzy znali Tatę Zezi, od razu zaopiekowali się Zezią w wózku i gdy zdenerwowany Tata przybiegł do nich z pytaniem, czy czasem nie zostawił u nich wózka, bez słowa wskazali na śpiącą Zezię. Tata zwierzył się Zezi, że płakał wtedy ze szczęścia, a Zezi od razu zrobiło się lżej.

Zezia bardzo płakała, gdy Rodzice milczeli dłużej niż jeden dzień. Kiedyś Julka powiedziała Zezi, że gdy jej starsza siostra Laura przyszła z kolczykiem w nosie do domu, to była awantura na cztery fajery. Zezia nie wiedziała, co to były te fajery, ale natychmiast zapisała to sobie w zeszycie i zrobiła tabelkę. Gdy Rodzice posprzeczali się ze sobą, ale do wieczora sprawa się wyjaśniła, Zezia określiła, że to była awantura na jedną fajerę. Kiedy milczeli jeden dzień, to była awantura na dwie fajery. Trzy fajery to milczenie dłuższe niż jeden dzień. To już było trudne do wytrzymania. Na szczęście jeszcze nigdy Zezia nie przeżyła awantury na cztery fajery, a kolczyk w nosie w ogóle jej się nie podobał. Wyobrażała sobie tylko, jak Laura musi wycierać nos przy ciężkim przeziębieniu, i to jej wystarczyło, żeby mieć kolczyk w nosie, ale w innym sensie.

Zezia płakała też z powodów osobistych. Prawda była taka, że Zezia czuła, iż jej miłość do Wojtka Koca jest nieodwzajemniona. Bardzo cierpiała z tego powodu, bo Wojtek strrrrasznie się jej podobał i Zezia nie rozumiała, dlaczego ona nie podoba się tak samo Wojtkowi. Płakała w wannie i zapisywała w swoim zeszycie z kłódką: „Chyba umrę z tej miłości".

Smutno było Zezi, gdy razem z Rodzicami oglądała wieczorne wiadomości i dowiadywała się, że gdzieś komuś stała się krzywda, ktoś zginął albo ktoś kogoś zabił. Najgorzej było, jak pokazywali małe dzieci w jakimś dalekim kraju, chudziutkie, bo nie miały co jeść, albo jak gdzieś była wojna, a dzieci w wieku Zezi traciły Rodziców albo same były ranne. Wtedy Zezia płakała

i Mama Zezi też. Zezia nie rozumiała, dlaczego
tak się dzieje. Zawsze broniła młodszych dzieci w szkole przed ważniakami ze starszych klas.
Nauczyła się tego dzięki Gilerowi. On był taki
radosny, zawsze uśmiechnięty, nigdy nikogo
nie uderzył, więc Zezia nie rozumiała, dlaczego
ktoś mógł chcieć uderzyć jego. Jak Zezia czegoś nie rozumiała, to płakała. Na przykład za-
dań z matematyki. Albo wtedy, gdy cała klasa
śmiała się z Zezi, gdy poproszona przez Panią
Wychowawczynię miała wymyślić zdanie ze sło-

wem „tani". Zezia z rozmarzoną miną powoli napisała na tablicy: „Moja Mama ładnie tańczy, tani, tani".

Zezia płakała też ze wzruszenia na przykład w kościele, gdy w Boże Narodzenie razem z Babcią Ciemnowłosą szły oglądać szopkę i jedna starsza Pani śpiewała zawsze bardzo głośno: „Gloria, gloria, gloooooriaa inekselsis deeeeeło".

Zezia i Julka postanowiły, że zostaną sławnymi aktorkami, ale gdy usłyszała o tym starsza siostra Julki Laura, to powiedziała, że żeby zostać słynną aktorką, trzeba umieć rozpłakać się na poczekaniu, czyli natychmiast i bez powodu. Zezia i Julka ćwiczyły więc ten płacz i kiedyś tak głośno szlochały w pokoiku Zezi, że aż przybiegł Tata Zezi, pytając, co się stało. Zezi i Julce zrobiło się wtedy baaaaardzo głupio, bo przecież nie mogły zdradzić Tacie Zezi tej wielkiej tajemnicy. Zostanie słynną aktorką miało być dla Rodziców Zezi wielką niespodzianką.

Marzenia Zezi

O czym marzyła Zezia? Zezia marzyła, żeby Giler ładnie mówił i żeby bawili się razem na placu zabaw w soboty i niedziele, a tak to Zezia się strasznie wstydziła iść z Gilerem gdziekolwiek, bo Zezi się zawsze wydawało, że wszyscy patrzą właśnie na nią i na Gilera i może w duchu się z nich śmieją. Zezia nieraz stawała w obronie Gilera, gdy inne dzieci nazywały go głuptasem albo czasem nawet gorzej. Zezia robiła się wtedy cała czerwona i zaczynała potwornie krzyczeć: „A co? Ty jesteś mądrzejszy? A znasz wszystkie modele traktorów na pamięć? A mój brat zna! A umiesz odróżnić w ciemnościach szelest papierka po czekoladce z kakaowym nadzieniem od szelestu papierka z nadzieniem marcepanowym? A mój brat potrafi!”.

Na szczęście zawsze w pobliżu byli Rodzice Zezi i albo głośno strofowali dzieci, które ata-

kowały Gilera, albo szli do ich Rodziców, jeśli oczywiście Rodzice innych dzieci byli razem z nimi na spacerze.

Zezia marzyła o tym, żeby Giler wstał kiedyś o dziesiątej rano, zamiast wstawać codziennie o 5.47. Choć Zezia cieszyła się, że Giler przesypiał całą noc, bo dobrze pamiętała, jak to wcześniej z nim bywało.

Zezia marzyła też, żeby kotka Łatka żyła bardzo długo i żeby Julka już na zawsze została jej przyjaciółką. Obie dziewczynki spisały sobie kiedyś na kartce takie postanowienie. Każda oddała przyjaciółce swoją wersję. Zezia przechowywała Julkowe postanowienie, które brzmiało tak: „Ja, Julka Chuchroń, obiecuję Zuzi Zezik, że będę jej pszyjaciółkom na zawsze i że nawet jak będę mieć męża, to najpierw będę mieć czas dla Zuzi, a dopiero potem dla męża”.

To samo napisała Zezia, z tą różnicą, że to Zezia obiecywała Julce, że Julka będzie ważniejsza od przyszłego męża Zezi.

Zezia marzyła tak troszeczkę o większym pokoju dla siebie i o pianinie, na którym bardzo chciałaby nauczyć się grać. I żeby jeszcze być tak dobra jak dziewczynka na obrazku, który wisiał przy łóżku Zezi na ścianie. Dziewczynka z obrazka głaskała małego jelonka, a biały gołąbek siedział na jej ramieniu. Zezia, od kiedy tylko pamięta, marzyła o tym, by wszystkie zwierzęta tak bardzo ją kochały jak dziewczynkę z obrazka. Kotka Łatka bardzo kochała Zezię, ale na przykład psy Państwa Denko nie. Zawsze wyrywały się z ogromnym hauczeniem do Zezi, gdy ta mijała Państwa Denko na klatce schodowej lub na ulicy. Państwo Denko w zależności od nastroju odkłaniali się Zezi lub gdy byli już bardzo czerwoni na twarzach i spoceni i bardzo śpieszyli się do domu, to już nie widzieli Zezi i nie słyszeli jej głośnego: „Dzień dobry".

Zezia marzyła też, żeby mieć więcej rodzeństwa. Bardzo kochała swojego brata, ale chciała, żeby bardziej ją rozumiał, czuł to samo co ona, gdy na przykład jest smutna lub bardzo zmęczona. Kiedyś stłukła sobie kolano i bardzo płakała. Giler podszedł i przyglądał się. Patrzył na łzy spływające po policzkach, patrzył na jej czerwony nos i wykrzywione usta. Ale nie pogłaskał jej, nie pocieszył. Zezi było wtedy bardzo trudno zrozumieć zachowanie Gilera. Tak jednak to wyglądało i Zezia znowu zapisała w swoim zeszycie od Cioci Zagranicy, tym na kłódkę i kluczyk: „Nie można z tym NA RAZIE nic zrobić".

Zezia miała ogromne marzenie, żeby poznać kiedyś Ciocię Zagranicę. Rozmawiała z nią parę razy przez telefon i Ciocia Zagranica wydawała się jej bardzo miła, ale Mama Zezi powiedziała, że do Cioci można dolecieć tylko baaaaardzo drogim samolotem, którym baaaaardzo długo się leci, i jeszcze do tego jest, i tu padają trzy proste słowa, które razem tworzą coś zdecydowanie mniej zrozumiałego, inna strefa czasowa. Tata Zezi tłumaczył jej przez parę ładnych minut, co to oznacza. A oznacza

to mniej więcej tyle, że tam, gdzie mieszka Ciocia Zagranica, jest inny czas niż w Polsce. Gdy cała rodzina Zezików spała w nocy, to u Cioci Zagranicy był środek dnia, a gdy Ciocia Zagranica kładła się spać, Zezia wraz z rodziną szykowała się do śniadania. Dlatego tak trudno było się Mamie kontaktować z Ciocią. Ale Zezia i tak czuła, że jest jeszcze jakiś inny dorosły powód, o którym Mama nie chce mówić.

Zezia marzyła o tym, by Wojtek Koc został jej mężem. Oczywiście nie powiedziała o tym Julce, wręcz przeciwnie. Gdy tylko Julka wspominała coś o Wojtku, Zezia zaczynała sapać, wzdychać i obruszać się. Julka miała podobnie z Markiem Oślickim, który włożył jej kiedyś klasowego chomika do torby. Idealny powód, by nie odzywać się do niego do końca szkoły, ale Julka gadała o tym Marku i gadała... A Zezia milczała o Wojtku. W swoim zeszycie na kłódkę i kluczyk Zezia, cała czerwona z wrażenia, wkleiła karteczkę, którą dostała od Wojtka na lekcji języka polskiego. Wojtek napisał: „Lubię Twoje kitki". Zezia nie mogła się już skupić do końca dnia. Zezia chciałaby mieć z Wojtkiem dom, dzieci, psa i kota. Na razie marzyła, by ją pocałował i by chodzili za rękę do parku.

Tuż przed snem Zezia zawsze przypominała sobie wszystkich spotkanych w ciągu dnia, którzy byli smutni, chorzy lub czegoś potrzebowali. Marzyła, żeby wszyscy mieli tak miło i dobrze w domu jak ona, choć przecież widziała Rodziców innych dzieci, którzy jeździli pięknymi samochodami, kupowali swoim dzieciom drogie

i piękne zabawki. Na przykład Sylwia Patyna. Z Mamą chodziła strzyc włosy do znanego jakiegoś fryzjera, miała rasowego psa i baaaardzo dużo wszystkiego. Ale Zezia jednocześnie widziała, że Mama Sylwii ma co chwila nowego męża, a Tata Sylwii nigdy nie pojawił się w szkole ani w jej opowiadaniach o domu. Albo taki Artur Piechciuch. U niego z kolei było bardzo dużo rodzeństwa, ale Mama Artura nie pracowała, bo była chora, a Tata był trochę podobny do Państwa Denko... Zezia raz zaprosiła Artura do domu w sobotę. Bardzo mu się podobało. Cieszył się, bo Tata Zezi podarował mu taki szwajcarski scyzoryk z różnymi dodatkowymi ostrzami, a jak Mama upiekła ciasto, to mógł zjeść spokojnie swoją porcję. Niektóre dziewczynki z klasy, gdy się dowiedziały, że Zezia gościła u siebie Artura, śmiały się z niej, że zaprosiła „tego biednego Piechciucha", ale Zezia była jak skała i przy dziewczynkach, które jej dokuczały, na głos zaprosiła Artura Piechciucha na następny weekend. Tylko że Artur już nie chciał. Pewnie się zawstydził albo nie chciał robić kłopotu Zezi. Próbował nawet zwrócić scyzoryk, ale Zezia powiedziała, że jej Tata baaaaardzo się obrazi, więc Artur zachował scyzoryk i chyba był szczęśliwy, że tak się stało.

Nocne Łałaki

Zezi często śniły się koszmary, a to dlatego, że uwielbiała słuchać strrrrasznych opowieści starszej siostry Julki Laury. Bała się tego słuchać, ale nie potrafiła nie słuchać, bo jednocześnie była baaaardzo ciekawa, co się dalej wydarzy w opowiadaniu starszej siostry Julki. Laura opowiadała dziewczynkom naprawdę strrrraszne historie i potem, gdy Zezia wracała do domu, było coraz gorzej. A już najgorzej było w nocy. Zezia przypominała sobie wszystkie szczegóły opowiadania Laury i... zaczynała się bać. Laura opowiadała na przykład o Włochatej Łapie, która z pewnością mieszka pod łóżkiem Zezi. Zezia miała wprawdzie piętrowe łóżko, co pośpiesznie starała się wytłumaczyć Laurze, ale ta uparcie twierdziła, że Włochata Łapa jest wyposażona w, i tu pada trudne

słowo, dżipies i że jeśli dojdzie do literki Z na swojej liście dzieci, które zamierza chwycić za stopę (a to podobno Włochata Łapa lubiła robić najbardziej), to wiadomo było, że znajdzie w nocy łóżko Zezi i wdrapie się do niego. Zezia spała więc szczelnie opatulona i dopóki sen jej ostatecznie nie zmorzył, czekała na ewentualny atak Włochatej Łapy.

Zezia w ogóle bała się ciemności. W nocy, kiedy naprawdę mocno chciało jej się siusiu, miała do przebycia dłuuuugą i niebezpieczną drogę, na której oprócz Włochatej Łapy tuż przy łóżku Zezi czyhały też różne inne potwory. Na przykład Łałaki. Laura twierdziła, że Łałaki lubiły mieszkać w kapciach. Były puchate i okrągłe, ale gdy wkładało się stopy do kapci, nagle rozwijały się jak sznurek i owijały wokół kostek. Zezia więc musiała biec do łazienki boso.

Następny potwór nazywał się Macmac. Macmac wyglądał jak nietoperz i atakował podobno buzię. Miał takie oślizgłe skrzydełka i Laura radziła, żeby szybko, jak najszybciej dobiec do przycisku włączającego światło. Zezia miała małą różową lampkę w kształcie kwiatka i w razie czego latarkę Taty, gdyby z jakichś powodów lampka przestała nagle działać. W nocy jednak oprócz dyskretnego różowego światełka w pokoiku Zezi wszędzie panowała ciemność. Trzeba było pokonać kuchnię, przedpokój i dopiero skręcić do łazienki. Laura powiedziała, że biegnąc jak

najszybciej do kontaktu, trzeba głośno śpiewać, żeby odstraszyć Macmaca. Zezia trochę się wstydziła przed Rodzicami, a poza tym w sumie nie chciała nikogo obudzić, szczególnie Gilera. Pamiętała jednak pewną noc, gdy Rodzice wyszli na zabawę sylwestrową, Giler był w tym czasie u Wuja Rolnika, a Babcia Jasnowłosa spała w salonie w drugim końcu mieszkania. Zezię krzepiła i uspokajała w nocy bliskość Gilera, który spał w pokoju przez ścianę, i w razie naprawdę wielkiego strachu zawsze można było otworzyć drzwi, które dzieliły pokoje dzieci. Ale wtedy w pokoju Gilera nie było nikogo, więc Zezia bała się jeszcze bardziej niż zwykle. Babcia Jasnowłosa przywiozła przepyszny sok z jeżyn własnej roboty, więc Zezia przed snem napiła się go w duuuużych ilościach i gdy w środku nocy musiała, naprawdę MUSIAŁA pójść do ubikacji, postanowiła zwycięsko pokonać wszystkie niebezpieczeństwa. Z wielką zwinnością zeskoczyła ze swojego piętrowego łóżka,

wparowała do kuchni i z głośnym „la, la, la" najszybciej, jak potrafiła, dobiegła do kontaktu
i zapaliła światło. Nagle ujrzała wielką puchatą
kulę z oczami, która mrugała na nią z przerażeniem. „Łałak!!!" – wrzasnęła Zezia, budząc ostatecznie Babcię Jasnowłosą, która powoli, ale
skutecznie dotarła zaspana do kuchni. Zezia
przeraziła się nie na żarty, ale kula na widok
Zezi i zaspanej Babci Jasnowłosej powoli zaczęła
nabierać kształtu kota, a konkretnie kotki Idźstąd, którą brawurowy skok Zezi z łóżka przera-
ził i wprawił w kocie osłupienie charakteryzujące
się nastroszeniem futerka. Zezia po zapewnieniu

Babci, że wszystko jej
wyjaśni rano, spokoj-
nie poszła do łazien-
ki. Wracając, należało
tylko równie szybko
zgasić światło w kuch-
ni i dotrzeć bezpiecz-
nie do pokoiku Zezi,

gdzie różowa lampka stała na straży i nic właściwie Zezi już nie groziło. Rodzice Zezi tłumaczyli, że nie ma żadnych Łałaków, a Mama Zezi nawet osobiście rozmówiła się z Laurą, bardzo stanowczo prosząc ją, by nie straszyła więcej Zezi, ale to, co zostało już w głowie Zezi, nie chciało z niej tak szybko wyjść.

Poza tym, tak jak to było powiedziane wcześniej, Zezia lubiła słuchać opowieści Laury. W dodatku Laura, gdy była w dobrym humorze i akurat miała czas, organizowała Zezi i Julce różne testy na odwagę. Najczęściej, gdy Mama Zezi zasiedziała się do późnego wieczora u Mamy Julki, a Zezia oczywiście w tym czasie siedziała z Julką w pokoju Laury, co było ogromnym zaszczytem i przeżyciem dla dziewczynek, bo nie zdarzało się zbyt często, Laura wymyślała zadania. Julka z całą rodziną mieszkała na parterze, więc gdy na dworze było już ciemno, Laura kazała dziewczynkom wyciągnąć ręce przez okno, sugerując, że ktoś na zewnątrz mógłby je pociągnąć, na przykład podwórkowe Włochate Łapy, co było dla dziewczynek oczywiste. Laura twierdziła, że najlepszą obroną jest atak, więc ćwiczyła dziewczynki we wzajemnym straszeniu się. Zabawa skończyła się, gdy któregoś wieczora Laura postanowiła skorzystać z łazienki, w której wcześniej ukryła się Zezia, by nastraszyć Julkę. Ta założyła na głowę jasny szlafrok Mamy Julki (który wisiał na drzwiach od łazienki) i zapaliła latarkę, którą podświetliła sobie buzię od dołu. Laura już więcej nie bawiła się w lekcje straszenia.

Wakacje

Gdy zbliżały się wakacje, Zezia była bardzo szczęśliwa, bo choć nie miała większych problemów z nauką i ostatnie dni w szkole zawsze należały do sympatycznych, to chciała już jechać do Dziadków i wypocząć u nich. Bardzo lubiła ten moment, gdy w dniu zakończenia roku szkolnego, w upalny czerwcowy dzień szło się wcześnie rano do Pań kwiaciarek, które stały od bladego świtu ze świeżymi bukietami niedaleko domu Zezi. Mama Zezi towarzyszyła jej, biorąc sobie dzień wolny od pracy. Najpierw razem szły wybrać kwiaty dla Pani Wiesławy Wons, Pana Katechety Józefa i Pani Woźnej Elżbiety, która bardzo Zezię lubiła i kiedyś wspaniałomyślnie schowała kozaki Zezi do szatni, podczas gdy Zezia z przerażeniem szukała ich po całej szkole, sądząc, że na pewno je zgubiła. Potem Mama Zezi prasowała swojej córce

białą koszulę i granatową spódnicę. W tym roku odświętne ubrania Zezi były już trochę ciasne, dlatego Mama Zezi zapowiedziała, że we wrześniu Zezia dostanie nowy strój galowy, ale żeby jeszcze ten ostatni raz założyła swoje stare ubrania. Zezia nie miała z tym żadnego problemu.

Na apelu wszyscy wyglądali bardzo odświętnie i Zezia patrzyła z niedowierzaniem na swoich kolegów i koleżanki z klasy, że są tacy inni, tacy poważni. Wojtek Koc prezentował się naprawdę świetnie. Julka spała w warkoczykach całą noc, żeby teraz móc się pochwalić lekko pofalowanymi włosami. Potem już w klasie, w której Zezia przez cały rok miała zajęcia, Pani Wiesława rozdawała świadectwa. Kolejność była następująca: od najlepszych uczniów do tych najsłabszych. Dla każdego dziecka Pani Wiesława miała osobną krótką przemowę, a Zezię najbardziej wzruszało, jak dochodziło się do tych najbardziej niegrzecznych i leniwych, którzy niejeden raz bardzo dokuczali Pani Wiesławie, a teraz pokor-

nie i spokojnie odbierali swoje świadectwa przy czujnym spojrzeniu swoich Rodziców. „Arturze, mam nadzieję, że w przyszłym roku będziesz aktywniejszy" – mówiła z uśmiechem Pani Wiesława, wręczając świadectwo. „Małgosiu, liczę na ciebie i wierzę, że przez wakacje podciągniesz się w czytaniu" – rzucała pogodnie kolejnej osobie. Zezia odebrała swoje świadectwo jako druga i to tylko z powodu nazwiska, które zaczynało się na literę Z. Pierwszy odebrał świadectwo Wojtek Koc. Mieli wraz z Zezią dokładnie takie same oceny, ale Wojtek był szesnasty w dzienniku, a Zezia ostatnia, czyli dwudziesta ósma. A wszystko z powodu literki Z. Wojtek był bardzo dumny z siebie, gdy szedł po swoje świadectwo, ale to była taka ładna duma, z dużym radosnym uśmiechem. Zezia była bardzo przejęta. Pani Wiesława powiedziała tylko: „Zuziu, tobie życzę, żebyś dalej była taką grzeczną i pilną uczennicą". Mama Zezi była bardzo wzruszona. Po wyjściu ze szkoły Zezia nie mogła się doczekać zdjęcia galowego stroju i założenia letniej sukienki. Rodzice Zezi nigdy nie kupo-

wali swojej córce prezentów z powodu dobrego
świadectwa. Mówili jej tylko, a dla Zezi za każdym razem było to bardzo, baaaardzo ważne,
że są z niej dumni, i zapraszali ją do cukierni
na jej ulubione ciastka, czyli bajaderki.

Potem Zezia mogła już spokojnie zacząć wakacje. Wiedziała, że czekają ją wspaniałe chwi-
le. Najpierw jechała z Rodzicami i Gilerem nad
morze do Dziadków, a potem, gdy po paru ty-
godniach oboje z bratem wystarczająco się opa-
lili i wypluskali w morzu, Rodzice Zezi wracali
do Warszawy, a Zezia i Giler ruszali z Dziadkiem
i Babcią Ciemnowłosą na wieś do ich letniego
domku. Zezia uwielbiała tam jeździć, bo miała swoją wakacyjną przyjaciółkę Bogusię, która
była od niej rok starsza i mieszkała niedaleko
domku Dziadków.

Bogusia miała jeszcze dwie kuzynki, które
czasem wpadały do niej do domu, ale prze-
ważnie Zezia spędzała czas tylko z Bogusią.
Cudownie było zjeść wcześnie rano śniadanie

na świeżym powietrzu i pędzić na rowerze do drugiej wsi, w której mieszkała Bogusia. Na podwórku stał ogromny kasztanowiec i dziewczynki wraz z młodszym rodzeństwem Bogusi potrafiły siedzieć na nim cały dzień. Kasztanowiec miał cztery konary, więc każdy mógł sobie zrobić własny kącik na drzewie. Mama Bogusi piekła puchate ciasta i dziewczynki uwielbiały zjadać jeszcze ciepłe kawałki, popijając zimnym mlekiem. Zezia była naprawdę bardzo, bardzo szczęśliwa na wsi. Giler zostawał z Dziadkami.

Moczył nogi w stawie i łapał żaby. Uwielbiał, gdy wieczorem Dziadek rozpalał ognisko i najpierw smażyli razem kiełbaski na uprzednio wystruganych kijach, a potem Dziadek wrzucał ziemniaki do dogasającego już ogniska, które tylko żarzyło się w ciepłą i wyjątkowo granatowo-gwiaździstą noc, by odkopać je nad ranem ciepłe i pachnące dymem.

Dwa kilometry od chatki Dziadków znajdowało się piękne jezioro. Dzieci z wielką radością wskakiwały do ciepłej wody. Giler uwielbiał pluskać się w jeziorze. Trudno go było nakłonić do wyjścia. Kiedy dzieci z gęsią skórką na całym ciele w końcu wychodziły na brzeg, Babcia czekała na nie z wiklinowym koszykiem, w którym miała termos z gorzką herbatą i zawinięte w folię spożywczą chrupiące kawałki kurczaka.

Dzieci zajadały obiad w milczeniu, siadając grzecznie na rozłożonym kocu.

W okolicach sierpnia Zezia zaczynała tęsknić za Rodzicami, Julką i szkołą. Giler zostawał więc do końca wakacji u Dziadków, a po Zezię przyjeżdżali stęsknieni Rodzice. Zezia lubiła od nich słyszeć, że urosła, że ma dłuższe włosy i że w ogóle wydoroślała. Z ulgą witała stolicę i znajome kąty. Julka w tym samym czasie wracała z kolonii, więc dziewczynki oczywiście miały sobie dużo do powiedzenia.

W drugiej połowie sierpnia Zezia razem z Mamą robiły generalne porządki w pokoju Zezi oraz listę szkolnych zakupów. Na kilka dni przed pierwszym dzwonkiem Zezia była już gotowa do nauki i do kolejnego roku szkolnego.

Tym razem na krzesełku w jej pokoju wisiała nowa granatowa spódnica z nową białą koszulą.

Święta

Święta Bożego Narodzenia były dla Zezi najcudowniejszym czasem, na który czekała caaały rok. Już we wrześniu planowała, jakie prezenty przygotuje Tacie, Mamie, Gilerowi i Julce. Na czwarte urodziny Zezia dostała w prezencie od Babci Jasnowłosej kremową świnkę skarbonkę, do której Mama i Tata wrzucali pieniądze z myślą o Zezi. A Zezia postanowiła, że za uzbierane pieniądze będzie przygotowywać bożonarodzeniowe prezenty dla swoich bliskich.

Oprócz prezentu dla Gilera Zezia przygotowywała wszystko własnoręcznie i tylko chodziła do różnych sklepów a to po wstążki, a to po papier do pakowania. Na przykład gdy szykowała prezent dla Julki, kupiła w specjalnym sklepie drewniane pudełeczko, które następnie pięknie własnoręcznie udekorowała gwiazdkami.

Potem zawinęła kolorowe pudełko w piękny papier i czekała na świąteczny dzień w szkole, kiedy tuż przed Wigilią dzieci przygotowywały prezenty dla swoich kolegów i koleżanek. Choć Zezia losowała jedną osobę z klasy, zawsze i tak miała prezent dla Julki.

Zanim jednak dzieci pożegnały się ze sobą przed przerwą świąteczną, najpierw był szósty grudnia, a szóstego grudnia do domu Państwa Zezik przychodził Święty Mikołaj. Nikt go nigdy nie widział, bo przychodził w nocy. Wieczór wcześniej Tata Zezi i Gilera przypominał dzieciom, że mają porządnie wyczyścić zimowe buty i ustawić je na parapecie w pokoju Gilera. W pokoju Zezi też był parapet, ale bardzo mały, więc Zezi wydawało się to oczywiste, że buty muszą stać na szerokim parapecie w pokoju Gilera. Giler bardzo długo czyścił swoje buty. Był niezwykle dokładny i ostatecznie trzeba mu było wyrywać buty z rąk, bo nigdy według niego nie były wystarczająco czyste. W końcu dzieci stawiały buty przy oknie, jadły kolację (Giler zawsze tę samą kaszę na wodzie, a Zezia w zależności od nastroju kanapki z wędliną lub konfiturą Babci Jasnowłosej) i szły się kąpać.

Łazienka Państwa Zezik była bardzo mała. Mama Zezi narzekała na naprawdę niewielki rozmiar wanny. Było w niej mało miejsca i dlatego kąpiel przebiegała szybko i sprawnie. Nie to, co u Wujka Rolnika lub Babci Ciemnowłosej, gdzie w przestronnej łazience stała duuuuża wanna, do której z radością wskakiwał Giler, by się pluskać, aż na palcach zaczynały mu się robić śmieszne zmarszczki. Bardzo trudno było nakłonić Gilera do wyjścia z wanny. Dlatego u Rodziców pomimo ogólnego narzekania na wannę dzieci zdecydowanie szybciej kończyły wieczorną kąpiel i kładły się spać.

Zezia szła do swojego małego pokoiku i zastanawiała się, jak to się dzieje, że Święty Mikołaj znajduje czas, by pamiętać o Zezi i Gilerze i punktualnie przynosić im prezenty, o których marzyli. Zezia zastanawiała się nawet, czy Święty Mikołaj nie zna czasem Rodziców Zezi i Gilera i czy nie spotyka się najpierw z nimi, a potem wyciąga z wielkiego worka dokładnie to, o co prosili Rodzice.

Tylko raz wydarzyło się coś niezwykłego. Gdy Zezia miała sześć lat, pomyślała sobie, że skoro dostaje tak piękne prezenty od Mikołaja szóstego grudnia, to czemu nie może dostać kolejnych siódmego. Nic nikomu nie mówiąc, wyczyściła znowu swoje buty (oczywiście pamiętając o butach swojego brata) i postawiła je na parapecie. Zezia była bardzo rozczarowana, gdy na drugi dzień w swoich butach znalazła

parę brązowych skarpet Taty, a w butach Gilera kilka kółek od traktora. Pomyślała wtedy, że Święty Mikołaj musiał być bardzo, baaardzo zmęczony, skoro wszystko mu się pomieszało.

Święta Bożego Narodzenia to była zupełnie inna historia. Zezia przygotowywała się do nich bardzo długo i już w październiku wszystkie prezenty były gotowe. Uwielbiała ten czas, gdy inni tuż przed Wigilią biegali po sklepach, podczas gdy Zezia mogła spokojnie zająć się przygotowaniami do świąt.

Mama prosiła Zezię o dwie sprawy: umycie kaloryferów, czego Zezia bardzo nie lubiła robić, i o wysprzątanie swojego pokoju, co akurat Ze-

zia bardzo lubiła robić. Kaloryfery w mieszkaniu Państwa Zezik były baaardzo stare. Trzeba było czyścić je szczotką na druciku, taką, którą Mama myła butelki po sokach, zanim wrzuciła je do śmietnika z odpadami szklanymi. Poza tym często podczas mycia kaloryferów Zezia trafiała na pająki, pajęczyny i martwe muchy. Bardzo jednak chciała pomagać, brała więc plastikową miskę z łazienki, wspomnianą szczotkę na druciku i zabierała się za mycie kaloryferów.

Zezia zauważyła, że dla Rodziców, szczególnie dla Mamy Zezi, nie był to tak radosny czas jak dla Zezi czy Gilera. Przede wszystkim raz na rok dzwoniła w Wigilię Ciocia Zagranica.

Mama rozmawiała z nią bardzo krótko i bez uśmiechu, który przecież powinien towarzyszyć świątecznym życzeniom.

Zezia i Giler spędzali święta najczęściej tylko z Rodzicami. Zezia bardzo lubiła jeździć do Babci Ciemnowłosej, ale wiedziała, że Mama jest zdecydowanie spokojniejsza i pogodna, gdy ostatecznie spędzali święta tylko we czwórkę. Zezia i Giler bardzo też lubili, gdy odwiedzała ich Babcia Jasnowłosa, ale i tutaj Zezia czuła, że Mama jest wtedy zestresowana, czy wszystko będzie dobrze i starannie przygotowane. Poza tym zawsze był powód, żeby Mama pokłóciła się z Babcią Jasnowłosą, więc Zezia wolała, żeby na święta wszyscy byli uśmiechnięci i zadowoleni, tak jak była zadowolona Zezia.

No więc, gdy dzieci spędzały święta tylko z Rodzicami, atmosfera w domu była bardzo swobodna. Mama nie prosiła wszystkich o szorowanie domu ani nie siedziała po nocach, krojąc cebulę i różne inne brzydko pachnące rzeczy, takie jak kiszona kapusta. Część potraw przyrządzała sama, a po część jechał Tata do eleganckiej restauracji, gdzie bardzo mili Panowie wydawali Tacie Zezi ślicznie zapakowane dania plus obowiązkowo przepyszne ciasto bezowe, które trzeba było zjadać ukradkiem, tak by nie widział tego Giler, który nie mógł jeść takich rzeczy.

U Rodziców Zezi Wigilia przebiegała w bardzo spokojnej atmosferze. Zezia miała za zadanie wypatrzyć pierwszą gwiazdkę na niebie. Gdy dziewczynka znalazła gwiazdkę, przybiegali Rodzice z Gilerem i wszyscy zaczynali świętować.

Najpierw Tata rozdawał wszystkim opłatek. Giler zawsze zjadał swój w całości bez czekania na resztę domowników, ale nikt nie miał do niego o to pretensji. Każdy odłamywał swój kawałek opłatka i dawał Gilerowi, ściskając go przy tym naprawdę serdecznie. Mama Zezi była zawsze tym mocno wzruszona i jeszcze szeptała Gilerowi parę słów do ucha. Giler jednak nigdy nie powiedział Zezi, co Mama mu mówiła. Potem Zezia

dzieliła się opłatkiem z Rodzicami. Zawsze życzyli jej zdrowia, samych szóstek i dużo radości. Potem wszyscy zasiadali do stołu, który był pięknie nakryty. Każdy jadł to, na co miał ochotę.

Po kolacji Zezia miała bardzo uroczysty obowiązek do spełnienia. To ona wyjmowała prezenty spod choinki, którą wybierała razem z Tatą. Tata zawsze sam dekorował choinkę późno wieczorem, by rano zaskoczone dzieci mogły natknąć się na nią w małym saloniku. Giler uwielbiał choinkowe lampki, Zezia zachwycała się bombkami, a szczególnie tymi u Babci Ciemnowłosej. Babcia i Dziadek mieli bombki z czasów, gdy Dziadek był małym chłopcem, i z czasów, gdy Mama Zezi była małą dziewczynką. Zezia uwielbiała słuchać opowieści Dziadka, jak to kiedyś bywało u nich w domu, gdy Ciocia Zagranica i Mama były w wieku Zezi i gdy wszyscy mieszkali w jednym domu. Dziadek zawsze bardzo przeżywał te opowieści, a Babcia robiła się pochmurna, więc Zezia szybko zmieniała temat na jakiś bardziej radosny. Było jej przykro, że Babcia i Dziadek mieszkają sami w wielkim domu. Nie rozumiała, dlaczego Mama razem z Tatą wynajmowali ciasne mieszkanie w hałaśliwej Warszawie, podczas gdy u Dziadków było tyle miejsca. Nie miała jednak nigdy odwagi spytać Mamę, dlaczego tak jest.

Wracając do prezentów, to Zezia odczytywała z karteczki, dla kogo jest pakunek lub pudełko, i podawała je właściwej osobie. Wszyscy w napięciu czekali na otwarcie prezentu. Dużo emocji wzbudzały prezenty od Zezi. Zezia bowiem każdy prezent przygotowywała sama, a nawet jeśli kupiła coś gotowego, to bardzo dbała, by opakowanie było starannie wykonane. Mama z dumą nosiła piękną brązową broszkę z gipsu, którą Zezia zrobiła na zajęciach plastycznych. Tata szczycił się brelokiem do kluczy, który miał bardzo ładnie wyhaftowany przez Zezię napis „Tata" na podłużnym pasku. Dla Gilera Zezia wolała kupić coś w sklepie. To musiało być coś solidnego, bo Giler był bardzo silny i delikatne zabawki zupełnie się dla niego nie nadawały. Kiedy wszyscy otrzymali już prezenty, dzieci bawiły się nowymi zabawkami, a Rodzice rozmawiali o różnych sprawach.

Zezia oczywiście uwielbiała moment, gdy Rodzice prosili ją o zaśpiewanie kolędy. Zezia znała dużo kolęd i bardzo lubiła śpiewać. Rodzice oklaskiwali ją, a Giler skakał wokół niej z radosnym pohukiwaniem.

Gdy jednak Rodzice decydowali, że spędzą święta u Babci Ciemnowłosej, wszystko robiło się zdecydowanie bardziej skomplikowane. Już samo pakowanie dzień przed wyjazdem sprawiało, że wszyscy stawali się bardziej nerwowi. Dzień wyjazdu bywał bardzo nieprzyjemny, bo Tata Zezi nie nadążał za prośbami zdenerwowanej Mamy Zezi, i dopiero gdy wszyscy siedzieli już w samochodzie, nastrój stawał się ciut lepszy. Mama przez cały czas była spięta, a już najbardziej się denerwowała, gdy po kilku godzinach podróży Państwo Zezik zajeżdżali na podwórko Babci Ciemnowłosej. Zezia zauważyła, że Babcia Ciemnowłosa traktuje Mamę Zezi cały czas tak, jakby Mama była małą dziewczynką. Według Babci Ciemnowłosej Mama Zezi niczego nie robiła wystarczająco dobrze i od razu, gdy Mama wysiadała z auta, Babcia wykrzykiwała polecenia i Mama rzeczywiście robiła się trochę niższa i cichsza.

Zezia bardzo lubiła spędzać święta u Dziadków. Mieli z Gilerem bardzo dużo miejsca do zabawy i cały dzień byli na dworze. Jedyne, co martwiło Zezię, to samopoczucie Mamy i kotki Łatki, która bardzo przeżywała podróż w specjalnym koszyku, miauczała przez większość czasu i bardzo się trzęsła. A potem, gdy Zezia wyciągała ją z koszyka i sadzała na kanapie u Babci, kotka szybciutko czmychała w najciemniejszy kącik, by dopiero późnym wieczorem wyjść nieśmiało.

U Babci przed kolacją wigilijną dzielenie się opłatkiem było zupełnie inne niż u Rodziców Zezi. Wszyscy byli bardziej zdenerwowani i na przykład gdy Dziadek chciał złożyć życzenia Babci, ta machała tylko ręką i nawet nie dawała się Dziadkowi pocałować. Gdy z kolei Babcia składała życzenia Mamie, to najczęściej życzyła sobie, żeby Mama była dla niej dobra. Zezia tego nie rozumiała, bo uważała, że Mama jest bardzo dobra dla swojej Mamy.

Problem pojawiał się, gdy dzwoniła Ciocia Zagranica. Wszyscy z napięciem czekali, aż Mama podejdzie do telefonu. Szczególnie Babcia bardzo to przeżywała i za każdym razem podchodziła do Mamy i przypominała jej, że ma tylko jedną siostrę. Zezia była przekonana, że Mama doskonale o tym wie.

Prezentów i jedzenia u Babci i Dziadka było zawsze dużo, dużo więcej niż u Zezi w domu. Prezenty były okazałe i Tata Zezi zawsze czuł się tym skrępowany. Zezia pamiętała, jak po kolejnych świętach Tata po cichu zwrócił swoje prezenty do sklepu, a za otrzymane pieniądze kupił sobie to, o czym marzył. Mama zawsze kupowała drogie prezenty, żeby wszystkim zrobić przyjemność, zwłaszcza Babci, ale i tak kłótni z nią nie dało się uniknąć.

W czasie świąt Zezia z wielką radością chodziła do kościoła z Babcią i Dziadkiem, ale ani Babcia, ani Dziadek nie przyjmowali komunii świętej. Zezia nie mogła się doczekać dnia, w którym będzie już mogła iść w stronę ołtarza i przyjąć komunię. Babcia Ciemnowłosa bardzo się cieszyła, że dla Zezi było to takie ważne, ale jednocześnie nie potrafiła jej odpowiedzieć, dlaczego sama nie chodzi do komunii. Dziadek był bardziej szczery i zapytany przez Zezię, dlaczego nie śpiewa w kościele ani nie odmawia żadnych modlitw, odpowiedział, że to tylko taka tradycja. Zezia nie do końca rozumiała, co znaczy słowo „tradycja", ale uznała, że jest to na pewno bardzo mądra odpowiedź, bo Dziadek był dla Zezi Bardzo Mądrym Dziadkiem.

Święta u Dziadków zawsze kończyły się chłodnym pożegnaniem Mamy Zezi z Dziadkami i wyjazdem do Warszawy dwudziestego siódmego grudnia. Zezia raz tylko usłyszała, jak Mama powiedziała do siebie szeptem: „Jestem wykończona" tuż po wyjeździe z babcinego podwórka.

Zdecydowanie lepiej czuła się Zezia, gdy Rodzice zostawiali ją i Gilera u Dziadków na ferie zimowe, a sami wracali do Warszawy. Babcia się wtedy uspokajała, bo nikt jej się do niczego nie wtrącał, a dzieci mogły do woli korzystać ze świeżego powietrza i wolnego czasu.

Zezia zawsze myślała z trwogą o dniu, w którym będzie musiała wyprowadzić się od Rodziców jako dorosła osoba. Marzyła o tym, by stało się to jak najpóźniej, a najlepiej nigdy...

KONiEC?